もりのひなまつり

こいで やすこ さく

福音館書店

ちいさな　もりの　ちかくに　いっけんの
いえが　ありました。
　そのいえの　くらには　ねずみばあさんが
すんでいました。
　はるも　ちかい　あるひの　あさ、
ねずみばあさんが　つくろいものを　していると、
「ゆうびんです」
と　やまばとゆうびんやさんが　てがみを
もってきました。
　てがみは　もりの　のねずみこどもかいからで、
こう　かいてありました。

ねずみばあちゃんへ ⊱〜

おげんきですか。 わたしたちも
げんきでチュ!! もりの ねずみばあちゃ
んも ものすごく げんきでチュ〜・
ばあちゃんが げんきなのは
こどものころ ねずみばあちゃんの いえの
ひなまつりに およばれして
きれいな おひなさまに いわって
もらったからだと いってまチュ〜・
ことし, わたしたち のねずみこどもかいは
もりの ひなまつりを したいとおもいまチュ!!
ねずみばあちゃん いっしょうの おねがい
でチュ!! おひなさまを もりへ つれて
きてください。 おねがいしまチュ!!
　おへんじ ください

　　のねずみこどもかいより ⊱

御ひな道具一式

ゆうこと
じゅんこの
おひなさま

　　ねずみばあさんは　おおきな　こえで　てがみを　よみました。
　　すると、「まいりましょう」「まいりましょう」「もりの　ひなまつりを
いたしましょう」と　くぐもった　こえがしました。
　　こえは　おひなさまが　はいっている　おおきな　はこのなかから
きこえました。

ねずみばあさんは　おひなさまの　はこを　あけました。
「だいじょうぶかしらねえ、うちの　だいじな　おひなさまを
もりの　ひなまつりに　おつれしても」
　ねずみばあさんが　いうと、
「だいじょうぶですとも」
「うちのひとが　ひなまつりの　かざりつけをするまえに
かえってくれば　いいのですから」
　はこから　だしてもらった　おひなさまは　うれしそうに
いいました。
「そうねえ、それじゃあ　でかけましょうか」
と　ねずみばあさんは　いいました。

　やまばとゆうびんやさんは　うれしい
しらせを　もって　いそいで　もりへ
とんでいきました。

6

ねずみばあさんと　おひなさまは
ぽかぽかと　あたたかい　ひざしのなかを
わらいさざめきながら　もりを　めざして
ゆるり　ゆるり　あるいていきました。
「だいじょうぶかしらねえ、こんなに
のんびり　あるいていって　もりまで
つけるものかしら」
　ねずみばあさんが　しんぱいしていると──

しらせを　きいた　のねずみこどもかいの　こねずみたちが
ねずみばあさんと　おひなさまを　むかえにきました。
　こねずみたちは　おひなさまを　のりものに　のせると
ゆっくり　はしりました。
　はじめて　みる　おひなさまが　あんまり　きれいなので、
こねずみたちは　どきどきして　なにも　いえませんでした。

もりでは　のねずみたちが　まっていました。

「わあー　おひなさまだ」

「なんて　きれいなんでしょう」

　みんなは　ねずみばあさんと　おひなさまを　もりの
ひろばへ　あんないしました。

うわさを　ききつけて　もりの　どうぶつたちも　やってきました。
のねずみこどもかいの　いっぴきが、
「では、これから　もりの　ひなまつりを　はじめます」
と　いいました。
すると、五にんばやしが　ふえや　たいこを　ならしました。

　　　　　ピーヒャラ　ポンポン
　　　　　ピーヒャララ

おはやしに　あわせて、三にんかんじょが　うたを　うたい
おだいりさまが　おどりを　おどりました。

　　　　はるかぜ　ふけふけ　ヤーポンポン
　　　　めをだせ　はなさけ　ヨーポンポン
　　　　きょうは　もりの　ひなまつり
　　　　ピーヒャラ　ピーヒャラ　ピーヒャラ　ポン

　のねずみの　こどもたちが　げんきに　そだつよう、
もりの　どうぶつたちが　しあわせに　すごせるよう、
おひなさまは　いわいました。

17

　それから　三にんかんじょが　みんなに　あまざけを　くばりました。
ひとくち　のむと　からだが　あたたかくなり、ふたくち　のむと
うきうきして　うたったり　おどったりしたくなりました。
　そこで、おひなさまと　もりの　どうぶつたちは　てを　つなぎ、
うたを　うたい　おどりを　おどって　もりの　ひなまつりを
たのしみました。

ゆうがたに　なりました。

あたりが　うすぐらくなって　きました。

ねずみばあさんは　しんぱいそうに　いいました。

「だいじょうぶかしらねえ……。そろそろ　うちへ　かえりましょうか」

　けれども　おひなさまは　のんびりと　うたたねをしています。

　つめたい　かぜが　さーっと　ふいてきました。

　のねずみこどもかいの　だいひょうが、

「これで　もりの　ひなまつりを　おわります。すてきな　ひなまつりが

できて、わたしたちは　すごーく　うれしいです。

　おひなさま、ねずみばあちゃん、どうも　ありがとうございました」

と　いいました。

あまざけ

21

あたりは　どんどん　くらくなり、
ちらちら　ゆきが　まいはじめました。

「さあ　たいへん！　いそいで　いえに　かえりましょう」
　ねずみばあさんが　いうと、こねずみたちは　いそいで
おひなさまを　のりものに　のせ、ねずみばあさんの　いえを
めざして　いそぎにいそぎ　はしりにはしりました。

　いえに　ついたときには　あたりは　まっくらでした。
　こねずみたちは　おひなさまと　ねずみばあさんに
おれいを　いうと、げんきよく　もりへ　かえりました。
　おひなさまは、
「なんと　わくわくする　いちにちでありましたなあ」
と　たのしそうです。
　その　すがたを　みて、ねずみばあさんは　あっと
おどろきました。
　おひなさまも　おたがいの　よごれた　すがたに
やっと　きづき、
「こんなに　きたなくては　うちの　ひなまつりに
だしてもらえまい」
「きっと　すてられてしまうに　ちがいない」
と　いって　なきだしました。

「だいじょうぶ。だいじょうぶですとも！」
　ねずみばあさんは　くらのなかを　はしりまわり、いとや　はりや
ぬのを　もってきて　やぶれた　ころもを　つくろいました。

　　はけや　ふで、おしろいや　べに、それに　えのぐを　さがしてくると、
　　おひなさまの　よごれた　かおや　てを　きれいに　ぬりなおしました。

　　ちいさな　くしで　みだれた　かみを　ととのえ、ころもを　きせると
もとどおりの　きれいな　おひなさまになりました。
　　それから　おおきな　はこに　おひなさまを　しまいました。

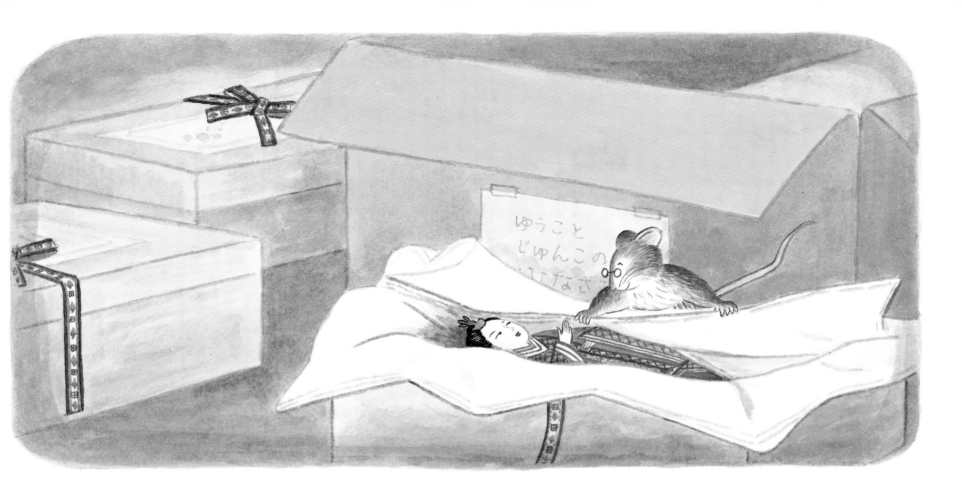

「やれ　やれ、これで　だいじょうぶ」
　ねずみばあさんは　すっかり　つかれて、じぶんの　ねどこに　もどると
ぐっすり　ねむってしまいました。

つぎのひ、ねずみばあさんが　めを　さますと　おひなさまの
おおきな　はこが　ありません。
　いそいで　ざしきを　のぞいてみると、おひなさまが　きれいに
かざってありました。
　おひなさまは　すましがおで、ないたり　わらったりしたことなど
いちども　なかったみたいに　みえました。
　ねずみばあさんは　ほっとして、「キッキッキッ」と
わらってしまいました。

　そのひの　ゆうがた、
「ゆうびんです」
　やまばとゆうびんやさんが　てがみを　どっさり
はこんできました。
　それは　のねずみこどもかいの　こねずみたちからの
おれいの　てがみでした。

作者紹介

小出保子（こいで やすこ）

福島県に生まれる。桑沢デザイン研究所卒業。

絵本に『とんとん とめてくださいな』（1986年オランダの絵本賞、銀の石筆賞
受賞）『ゆきのひのゆうびんやさん』『はるですはるのおおそうじ』『とてもとて
もあついひ』『おなべおなべにえたかな？』（以上、福音館書店刊）、『なぞなぞ
かけた』（小峰書店刊）、『かくれんぼおに』『はなづくりのまろ』『どろんこーん』
（以上、ぎょうせい刊）などがある。千葉県在住。

"THE DOLL'S FESTIVAL IN THE WOODS"

Text & Illustrations © Yasuko Koide 1992.

Published by Fukuinkan Shoten Publishers, Inc., Tokyo, Japan. Printed in Japan by Seikosha Co., Ltd.

もりのひなまつり　　こいで やすこ さく

1992年3月1日　こどものとも発行　2000年2月10日　こどものとも傑作集　第1刷　2003年12月5日　第9刷
発行所　株式会社福音館書店　113-8686 東京都文京区本駒込6－6－3
電話　販売部03(3942)1226　編集部03(3942)2082　　　　　　　　　　http://www.fukuinkan.co.jp/
印刷　精興社／製本　清美堂　　　　　　　　　　　　　NDC 913　32p　20×27cm　ISBN4-8340-1654-4
乱丁・落丁本は、ご面倒ですが小社制作課宛ご送付ください。送料小社負担にてお取り替えいたします。